BELGICA

AM BAILE GALLACH

HÌDRVMENTVM

HÒDRVMENTVM

CÙLANTSÒFVM

BALGBUACHRVM

ARMORICA

LVTETIA

SPQR

A' GHALL

(ÌMPIREACHD
NA RÒIMHE)
50 R.C.

CELTICA

AQVITANIA

PROVINCIA

'S E A' BHLIADHNA 50 R.C. THA A' GHALL GU LÈIR FO SMACHD NAN RÒMANACH. UILL, CHAN EIL BUILEACH... THA AON BHAILE BEAG ANN FHATHAST FAR A BHEIL GALLAICH SMIORAIL GUN GÈILLEADH DHAN LUCHD-IONNSAIGH. AGUS CHAN EIL BEATHA FHURASTA AIG NA SAIGHDEARAN RÒMANACH A THA A' CUMAIL GEÀRD AIR NA CAMPAICHEAN DAINGNICHTE — BALGBUACHRUM, CÙLANTSÒFUM, HÒDRUMENTUM AGUS HÌDRUMENTUM...

ASTERIX, CUSPAIR NA SGEÒIL SEO. THA E NA LAOCHAN BEAG TUIGSEACH IS SEÒLTA. THÈID GACH DÀNA-THURAS EARBSADH RIS SA BHAD. THA E A' FAIGHINN A NEIRT MHÌORBHAILICH BHON DEOCH DHRAOIDHEIL A DHEASAICHEAS AN DRAOIDH OGHAMAIX…

OBELIX, DLÙTH-CHARAID ASTERIX. THA E NA NEACH-LIUBHAIRT CHARRAIGHEAN IS GLÈ DHÈIDHEIL AIR TUIRC-ALLAIDH. THA OBELIX DAONNAN DEISEIL GUS FALBH CÒMHLA RI ASTERIX AIR DÀNA-THURAS FHAD 'S A THA PAILTEAS THORC RIN ITHE IS GU LEÒR SABAID RI DHÈANAMH. 'S E A CHOMPANACH DÌLEAS CÙLMOSHÀILIX, CÙ-DÌON NA H-ÀRAINNEACHD, A LEIGEAS RÀN EU-DÒCHAIS NUAIR A THÈID CRAOBH A LEAGAIL.

OGHAMAIX : DRAOIDH URRAMACH A' BHAILE, A NÌ AN DRAOIDH-LUS A BHUAIN IS A NÌ DEOCHAN DRAOIDHEIL LEIS. BHEIR A DHEOCH SHÒNRAICHTE NEART IONGANTACH DHAN NEACH A DH'ÒLAS I ACH CHAN I AN AON SRÙBAG SEUNTA AS AITHNE DHA…

'S E PONGAILIX BÀRD A' BHAILE. THA ESAN AN DÙIL GU BHEIL E UABHASACH TÀLANTACH. THA CÀCH AN DÙIL GU BHEIL E DÌREACH UABHASACH. ACH, FHAD 'S NACH BRUIDHINN E, GUN GHUTH AIR SEINN, IS TOIL LEIS A H-UILE DUINE E.

AGUS MU DHEIREADH, MARAGMHÒRAIX, CEANN-CINNIDH NA TREUBHA, FLATHAIL, FIADHAICH IS FOGHAINTEACH. THA MEAS AIG A DHAOINE AIR IS EAGAL AIR A NÀIMHDEAN ROIMHE. CHAN EIL AN T-EAGAL AIR RO RUD SAM BITH ACH GUN TUIT NA SPEURAN MU CHEANN. ACH MAR A CHANAS E FHÈIN, CHA TIG A-MÀIREACH A-CHAOIDH.

THA GOSCINNY AGUS UDERZO A' TOIRT THUGAIBH DÀNA-THURAS ASTERIX

ASTERIX ANN AN DÙTHAICH NAN CRUITHNEACH

AN TEACSA **JEAN-YVES FERRI**   NA DEALBHAN **DIDIER CONRAD**

AIR EADAR-THEANGACHADH LE
RAGHNAID SANDILANDS

Meal an naidheachd air Jean-Yves Ferri agus Didier Conrad airson a bhith calma agus tàlantach gu leòr gus an leabhar Asterix seo a thoirt gu buil. Le taing dhaibhsan, seasaidh am baile beag Gallach a chruthaich sinn le mo charaid René gus sgeulachdan ùra innse, a bhios nan toileachas mòr dha leughadairean.

Albert Uderzo

Chan eil cuimhne air René Goscinny uair sam bith fad' às nuair a bheirear Asterix beò. Bha a chliù air a ghiùlan gu ruige seo le tàlant sònraichte Albert Uderzo. An-diugh, is Albert a' cumail sùil air a' chiad leabhar seo a tha air fhuasgladh bho na ciad chruthadairean, bhithinn an dòchas gum biodh m' athair uasal às na h-ùghdaran dham bheil sinn ag earbsadh a' Ghallaich ainmeil. A cheart cho uasal agus toilichte 's a tha mi fhèin.

Anne Goscinny

dalenalba.com

Asterix ann an dùthaich nan Cruithneach
Air fhoillseachadh an toiseach mar *Astérix chez les Pictes*
© 2013 Les Éditions Albert René
© 2013 Les Éditions Albert René airson a' chlò-bhualaidh seo agus an eadar-theangachaidh Ghàidhlig

Air fhoillseachadh le Dalen Alba, Dalen (Llyfrau) Cyf, Tresaith, Ceredigion SA43 2JH, A' Chuimrigh

A' chiad fhoillseachadh: Dàmhair 2013
ISBN 978-1-906587-36-9
Air eadar-theangachadh le Raghnaid Sandilands
Air a dheasachadh le Dougie Beck

Chuidich Comhairle nan Leabhraichean am foillsichear
le cosgaisean an leabhair seo

Air a chlò-bhualadh ann am Malta le Melita Press

5

BHEIL THU CINNTEACH GU BHEIL CUS SNEACHD ANN AIRSON A DHOL A SHEALG NAN TORC, ASTERIX?

THA, OBELIX. ACH GHEIBH SINN EISIREAN.

NUAIR A BHIOS SINN RI MAORACH...

BITHEAMAID RI MAORACH, IS FEUCH GUN AN ITHE UILE!

DH'ITHINN IAD BRUICH, DH'ITHINN IAD AMH.

DH'ITHINN AM FEUSAG, DH'ITHINN AN STAIS!

IS TOIL LEAMSA A BHITH A' COISEACHD CLADAICH ÀS DÈIDH STOIRM. THIG NA THA SIN DE RUDAN ÀRAID A-STEACH AIR A' MHUIR-LÀN.

HOIGH, ASTERIX, SEALL!

SEANN CHLOGAID AIRSON A' CHRUINNEACHAIDH AGAM.

AGUS LORG MISE SEANN AMPHORA!

GREUGACH NO PHOINISIANACH, CHAN EIL MI CINNTEACH...

AGUS CNAP DEIGHE, ASTERIX. AN DÙIL AN E CNAP DEIGHE TH' ANN?

GRR

DH'FHAODADH GUR E, OBELIX. CUIMHNICH NA THUIRT UAIRABHASILIDAIX!

GRR

SEADH, ACH CNAP DEIGHE LE CUIDEIGIN NA BHROINN 'S E A' COIMHEAD AIR AIS ORM?

UAF! UAF!

!

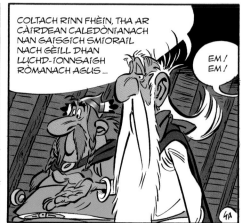

CHA TOIR SIBH FIÙ 'S AN AIRE GU BHEIL MI ANN, FHEARAIBH. CHAN EIL AN SEO ACH OBAIR CHLÈIREACHD AGUS THA SINN GU MÒR ...

SEALLAIDH MISE DHUT CÒ THA MÒR!

LEIG LEIS, OBELIX! CHAN EIL ANN ACH SEIRBHEISEACH CATHARRA A' LEANTAINN ÒRDUGHAN ...

THA E CEAAAART! THA MI AITHNICHTE MAR FHEAR AIG A BHEIL GLÈ BHEAG DHE A BHEACHD FHÈÈÈIIN!

CEART, MA-THÀ, LEAN ORT LED CHUNNTAS-SLUAIGH, A RÒMANAICH. ACH BI LUATH MU DHEIDHINN, AGUS FAN ÀS AN RATHAD OIRNNE.

CHAIDH D' IARRTAS – SLUIG – A CHLÀRADH.

NISE MA-THÀ, MACH À SEO LEIBH UILE AGUS LEIGIBH LE AR DRAOIDH COIMHEAD RIS AN EILTHÌREACH.

5A

CHA GHABH AN-DRÀST'! COISICHIDH MI DHACHAIGH. THA CUS DEIGH AIR AN T-SLIGHE!

THA SIBH CINNTEACH NACH B' FHEÀRR LEIBH FUIREACH CÒMHLA GU 'N DÈAN MI CUNNTAS-SLUAIGH?

... THA LATHA NACH EIL FAD' ÀS IS THIG NA MÌLTEAN DHIUBH ANN AN CNAPAN DEIGHE!

UAIRABHASIUDAIX, AIR DO SHOCAIR!

AN TRUAGHAN, 'S E CHO ÒG! BIDH SINN AN DÒCHAS GUN TÈID E AM FEABHAS!

AGUS CHO EIREACHDAIL 'S A THA E! AM FACA SIBH NA TATÙTHAICHEAN AIGE?

AGUS AM FÈILEADH BEAG! CHO FASANTA!

HUD! FAOTHACHADH DHAN T-SÙIL AN TACA RIS NA CNAPAN CAMA-SHRÒINEACH GÒRACH GALLACH!

HÌ HÌ HÌ! 'S TU FHÈIN A THUIRT E, FEAMAINNÌNA!

PFFF

5B

9

BEAGAN UAIREAN ÀS DÈIDH SIN...

FEUMAIDH SINN A-NIS BUILLE A CHRIDHE A CHUR GU DOL AIR A SOCAIR.

DUILLEAG UATHA, DUILLEAGAN AN DRAOIDH-LUIS, OLA RÒSMHUIRE ...

BÍNC!

THA E DEATAMACH NACH DÙISG E ÀS A LAIGSE RO LUATH.

CEART MA-THÀ! CÀITE AN DO CHUIR MI A' PHOIT DE DH'OLA RÒSMHUIRE?

OCH, 'S E MISE! CARSON NACH SGRÌOBH MI AINM AIR MO PHOITEAN!

6A

... XIV
XV.

À, CEART, FUIRICH DIOG, LE DO THOIL. THA MI A' DÈANAMH CUNNTAS-SLUAIGH.

SLOINNEADH, AINM-BAISTIDH, OBAIR. SEÒLADH LÀN-ÙINE NO GEÀRR-ÙINE?

DNC.

CIAMAR A LITRICHEAS TU SIN?

DNC

6B

THIG SA MHIONAID! THÀRR AN CRUITHNEACH ÀS!

THA PÀTRAIN CHRUITHNEACH DOIRBH AN LEANTAINN, NACH EIL, ASTERIX?

CO-DHIÙ, FEUMAIDH GU BHEIL E A' FAIREACHDAINN NAS FHEÀRR.

THA E SIN!

IST! THA E AG INNSE A SGEULACHD.

CEITHIR!

STOIRMEAN?

GAOTH?

BUNTÀTA?

FAD' ÀS!

AN ÀITEIGIN EILE...

A DH'IONNSAIGH HIDRUMENTUM!

BUAIDH!

TOILEACHAS!

LOSGADH-BRÀGHAD!

EH...

FUIRICH ORT...

'S E THUIRT E...

THA MISE GA THUIGSINN. THA E SGRÀTHAIL NA THACHAIR DHA! BHA E AG ITHE BUNTÀTA NUAIR A SHÈID GAOTH MHÒR IS THÀINIG AN LOSGADH-BRÀGHAD SEO AIR!

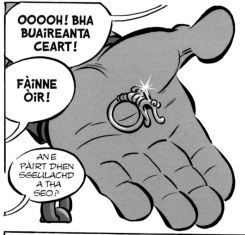

14

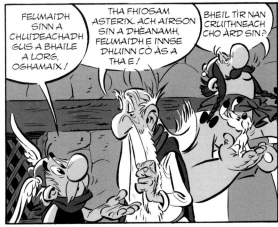

AGUS LEIS A SIN, AIR MADAINN ÀLAINN EARRAICH, BHA A THÌD' ACA NA SIÙIL A THOGAIL...

NACH IST THU, OBELIX / CHAN EIL ADHBHAR DHUINN A' CHARRAGH SIN A THOIRT LEINN /

ASTERIX, A BHARRACHD AIR AN DEOCH DHRAOIDHEIL, SEO GÙRD DHEN ÌOCSHLAINT DHA AR CARAID CRUITHNEACH – BALGAM AON UAIR SA MHADAINN AGUS AON UAIR AS T-OIDHCHE.

CEART MA-THÀ, A DHRAOIDH.

THA CÙLMOSHÀILIX RO BHEAG AIRSON AN TURAS FADA SEO A GHABHAIL. COIMHEAD THUSA ÀS A DHÈIDH, OGHAMAIX – AON CHNÀMH SA MHADAINN AGUS AON AS T-OIDHCHE.

THA COLTAS AN DEARG AMADAIN ORM SAN TRUSGAN SEO /

CHAN EIL IDIR, 'S ANN THA THU A' COIMHEAD NAS CAOILE. AGUS SEALL MAR A THA E A' CÒRDADH RI AR N-AOIGH /

13A

THA FHIOS GU BHEIL SEO FAOIN, ACH CHA ROBH MI A-RIAMH DÈIDHEIL AIR MO GHLÙINEAN /

CHUIR MISE BOTAL-TETH NAM SPORAN, BHEIL FHIOS AGAD.

NA ÈIST RIUTHA, UAIRABHASIUDAIX. CO-DHIÙ, THA E A' TIGHINN RIUT /

CIOSAG!

DÈ CHUIREAS MI SÌOS ? THOIR AIR FALBH TRÌ GAISGICH, CUIR RIS AON CHÙ ... THA NA DAOINE SEO DEAMHNAIDH GUS FUIREACH STÒLDA /

FUIRICHIBH! FUIRICHIBH!

RINN MI CEÒL-MÒR CALEDÒNIANACH DHAIBH /

CLIOB!

PLUB !

DÈ THACHAIR AN SIN ?

CHAILL A GHLÙIN A LÙTHS.

13B

17

BHA SAOGHAL SÌTHEIL AGAM LE MUINNTIR MO CHINNIDH FAISG AIR UISGEACHAN SOILLEIR LOCH CEÒLMHOR ...

... NUAIR A LEUM MACRASCAIL, AN CEALGAIRE GROD SIN, ORM GUN FHIOS.

MAC RASCAIL ?

CEANN-CINNIDH NA TREUBHA BHO THAOBH THALL AN LOCHA. CHEANGAIL E MI RI CABAR IS SHAD E A CHOILEACH AN T-SRUTHA MI ...

CARSON A RINN E SIN, A CHRUITHNICH ?

MAC A' BHUTHAIGRE E ANN, THA E MIANNACH AIR RÒSMHUIREA, NIGHEAN-DALTA AR SEANN CHINN-CHINNIDH, MACANDORAS MÒR NACH MAIREANN.

RÒSMHUIREA MHAISEACH, DHAN TUG MI MO GHEALLADH ! THA LAINNIR A H-ÀILLEACHD NAS SOILLEIRE DHOMH NA UACHDAR DEÀLRACH AN LOCHA ...

SNÒT !!

MO LEISGEUL, ACH BHEIR SGEULACHDAN GAOIL MAR SIN ORMSA GAL ...

(15A)

TROBHAD, CHA DO THOG MI SIN AIR FAD, AN TÒISICH THU BHON TOISEACH A-RITHIST ?

EM ...

B' FHEÀRR LEAMSA GEÀRR-CHUNNTAS LUATH, MA THÈID AGAD AIR ...

THA AN TURAS-CUAIN A' LEANTAINN ...

'S E AN RUD, GUS AN DÙTHAICH AGAM A THUIGSINN, FEUMAIDH SINN BRUIDHINN AIR NA CINNIDHEAN, ACH BHO BHÀSAICH MACANDORAS MÒR, GHABH GACH CINNEADH A SHLIGHE FHÈIN. CHÌ SIBH, THA E SÌMPLIDH ...

THA NA CRUITHNICH BHON EAR AGAINN AGUS NA CRUITHNICH BHON IAR. THA NA CRUITHNICH MHARA ANN A THA GAM PEANTADH FHÈIN GORM AGUS NA CRUITHNICH GHORMA ANN A THA AIR DATH UAINE, FEADHAINN GHLAS-RUADH AGUS FEADHAINN BHREAC...

B' FHEÀRR LEAMSA AN DUINE NUAIR NACH BIODH E BRUIDHINN !

(15B)

19

AIG AN AON ÀM...

AGUS SEO LOCH CEÒLMHOR ! IS ÀILLE LEAM CEILEIR A' CHOILICH CHNAPAICH AGUS LUINNEAG BHINN NA SMEÒRAICH SMUGAIDICH !

AM BI RÒSMHUIREA AIR MO DHÌOCHUIMHNEACHADH?... O A NÌSEAG MHÒR, GLÈIDH MI ! CÒ AIG THA FIOS DÈ CHO FAD' 'S A BHA MI AIR FALBH !

CHA SGUIR E A BHRUIDHINN, ASTERIX. A BHEIL SIN ÀBHAISTEACH ?

FEUMAIDH GUR E BUAIDH NA H-ÌOCSHLAINT A THA SIN.

CÒ AN NÌSEAG SEO AIR A BHEIL THU A-MACH, A MHIC AN RATH ?

'S ISE TÈ-DHÌON AN LOCHA AGUS SUAICHEANTAS AR CINNIDH, ASTERIX.

THA I SPÒRSAIL IS CLEASACH NA NÀDAR AGUS THIG IS FALBHAIDH I MAR A THOGRAS I FHÈIN ... 'S ISE A RUAIGEAS NA BRADAIN A LÌN MUINNTIR MO CHINNIDH.

SEADH.

SEÒRSA DÒBHRAIN, MA-THÀ ...

21

*BAN-DIA CHEILTEACH A' GHEAMHRAIDH

*DIA NAM PÌOBAN BRISTE

24

BHA FÀILTE CHRIDHEIL ROMHPA AIR AIS SA BHAILE ...

MÈÈÈ

SEO SIBH UILE ! SÌLEAS NAN CEAPAIRE ! MAC AN TUAINEARP ! MAC GILLEBHÌDEACH ! FÀDMÒNA ! CANACHSLÈIBHEA ! MAC FÀGDRUDHAG AN DRAOIDH ! IS MI THA TOILICHT' UR FAICINN UILE !

MÈÈÈ

MO CHÀIRDEAN CÒIRE, CUIRIDH MI SIBH AN EÒLAS MO DHAOINE. THA E GU MATH SÌMPLIDH – THA SINN AIR AR FIGHE CÒMHLA ANN AM BREACAN BÒIDHEACH !

'S E MACCROCODAIL BRÀTHAIR-ATHAR CANACHSLÈIBHEA THO PHÒSADH. IS ISE NIGHEAN-BRÀTHAR SÌLIS NAN CEAPAIRE, AN DÀRNA BEAN AIG MACGILLEBHÌDEACH, AGUS 'S ESAN M' ATHAIR-CÈILE AGUS ATHAIR-BAISTIDH FÀDMÒNA, AGUS IS ISE MO CHO-OGHA AIR TAOBH NAM MÒRÀSDAFHÈINEACH ...

SGRÒB SGRÒB

MAC À SEO !

23A

ACH, GU LEÒR BRUIDHINN ! THA FHIOS GU BHEIL SIBH SGÌTH ! THUGNAIBH UILE A-STAIGH GU BIADH A BHLÀTHAICHEAS BRÙ !

THA MI A' TUIGSINN A-NIS !

SIN THU FHÈIN A SHÌLEAS !

IS MISE BHIOS AIR MO DHÒIGH AN SEO !

THA MI CHO GLAN AIR MO DHÒIGH ! CHO GLAN 'S GUM FEUM MI AN CABAR SEO A THILGEIL !

OBELIX ! NAAAA !!!

MÈÈÈ

CHA TOIL LEAM SEO IDIR ... THA E RO SHÀMHACH. THA RUDEIGIN A' DOL A DH'ÈIRIGH DHUINN, THA FHIOS AGAM AIR ...

SEO, THA FEADAIREACHD NEÒNACH NAM CHLUAIS ...

23B

27

CARSON NACH TILG SINN CABAIR ORRA?

CHA GHABH SIN DÈANAMH, OBELIX. 'S E BAILE DAINGEANN A THA AIG MACRASCAIL AGUS THA A' CHREAG AIR A BHEIL E A' SEASAMH AIR A TOLLADH LE UAMHAN DHAN TEICH IAD CHO LUATH 'S A THIG CUNNART NAN RATHAD!

CHAN EIL SIN A' CUR IONGNADH ORM! BHA E SLAODACH GUS BRUIDHINN NUAIR A BHA E BEAG.

THA E CHO GLAS. 'S E A GHRÙTHAN AS COIREACH!

MAR SIN, CHAN EIL ROGHAINN AGAINN! CÀIT A BHEIL A' CHUIRM A' GABHAIL ÀITE?

AIR EILEAN AM MEADHAN AN LOCHA. FEUMAIDH NA TAGRAICHEAN IAD FHÈIN A CHUR MU CHOINNEAMH NAN CEANN-CINNIDH EILE MUS TÈID BHÒT A GHABHAIL...

UILL, SEO A NÌ SINN, A MHIC AN RATH! A-MÀIREACH, BRUIDHNIDH TUSA AIG A' CHUIRM AGUS CUIRIDH TU MACRASCAIL TROIMH-A-CHÈILE!

CUIRIDH TU CÒ ... HIC /... CÀITE?

28A

THA THU CEART, ASTERIX. SEASAIDH MI AIR A BHEULAIBH AGUS CANAIDH MI RIS... CANAIDH MI...

CANAIDH MI ... CAN ...

SÌOL GNORAIDH!

AN AINM AN UIGHE✳! THA E AIR A DHOL GOGAGACH A-RITHIST!

A SHÌORRAIDH!

THA E A' FÀS NAS MIOSA!

✳ AN T-UGH MÒR: DIA SPÀIRN IS STRÌ

AIRSON A GHUTH A THOIRT AIR AIS, FEUMAIDH SINN ÌOC SHLAINT OGHAMAIX! ACH GHOID AN UILEBHEIST AIR FALBH AN GÙRD!

AIDH! AN DÒBHRAN!

SIUTHAD, A MHIC SAMHAIL! INNIS DHA!

THA FIOS AGAMS'! FALAICHIDH NISEAG NA LORGAS I NA H-UAIMH RIS A' CHLADACH! BHEIR MI ANN SIBH MA THOGRAS SIBH!

28B

CEART! SAOILIDH MI GUM FEUM SINN SNÀMH SÌOS FO NA CREAGAN SEO. BHEIL THU TIGHINN, OBELIX?

AN ÀITE SIN, DÈ MU DHEIDHINN GREIM A BHARRACHD A GHABHAIL DHEN BHRADAN RÒSTA?

THOIRIBH AN AIRE! BHO SEO A-MACH 'S E DÙTHAICH CHLOINN MHIC RASCAIL A THA ROMHAIBH!

TAING DHUT, A MHICSAMHAIL. NÌ SINN A' CHÙIS! THA CHO MATH DHUT TILLEADH CHUN A' BHAILE GUN DÀIL!

GUS TUIGSE NAS FHEÀRR A THOIRT DHAN LEUGHADAIR AIR MAR A RINN IAD AN SLIGHE FON UISGE, CLEACHDAIDH SINN DEALBHAN.

THA BÙRACH UILE-GU-LÈIR BÈISTEIL A-STAIGH AN SEO!

THA. CHA BHI E FURASTA AN GÙRD A LORG!

AIR AN LÀIMH EILE, THA TÒRR CHLOGAIDEAN SNOGA AN SEO AIRSON A' CHRUINNEACHAIDH AGAM!

IST, CHAN EIL TÌD' AGAINN AIRSON SIN!

IS TOIL LEAM CUIMHNEACHAIN BHEAGA A THOIRT DHACHAIGH BHO NA TURSAN AGAM!

IST! CLUINNIDH MI RUDEIGIN ... IST!...

AIG BEUL AN LATHA, THA AN T-EILEAN AM MEADHAN AN LOCHA TRANG LE OTHAIL MUS TÒISICH A' CHUIRM GUS RÌGH ÙR A THAGHADH...

SGRREEUUCH BAM BAM BAM MÈÈÈÈ MÈÈÈÈ PILILILILILIÙ

... OTHAIL A CHUIREAS IONGNADH AIR CUID DE MHUINNTIR AN ÀITE...

THA NA CINN-CINNIDH BHO NA TREUBHAN MÒRA AIR CRUINNEACHADH. THA NA CRUITHNICH ÌOCHDARACH ANN, NA CRUITHNICH CHOILLTEACH, NA CRUITHNICH GHLUGAIRNEACH, NA CRUITHNICH LAINNIREACH, NA CRUITHNICH PHLUICEACH, NA CRUITHNICH SPÀGACH...

SGRREEUUCH

... FIÙ 'S AGUS THÀINIG CRUITHNEACH MÒR GEAL...

NACH E AN GEAL SIN A THA SPAIDEIL?

THA, ACH CHA MHAIR E GLAN FADA!

35A

RUIGIDH MACRASCAIL AGUS A LUCHD-TAICE NA CHOIS...

AGUS NÌ IADSAN TRANG A' SIREADH NAM BHÒT, A' TOIRT SEACHAD SÙGH AN EÒRNA ... ✳

THA MAC RASCAIL AIG DO GHUAL-AINN!

DEÒCH-SLÀINTE ✳ MHICRASCAIL!

✳ CHAN E DOL-A-MACH 'TAGHTA' A THA SEO AN-DIUGH

THA RIAGHAILTEAN TEANNA ANN A THAOBH CÒ NA CIAD TAGRAICHEAN A BHRUIDHNEAS. 'S IAD NA TAGRAICHEAN BEAGA A THÒISICHEAS ...

A CHÀIRDEAN, THA SIBH EÒLACH ORM, THÈID MI AIR MO CHASAN DHUIBH ...

ACH THA CUMHACHDAN AIG SEANADH NAN CEANN-CINNIDH.

GUS CEANN A' MHAIDE A CHUMAIL RIUTHA.

CNAG!

35B

39

41

44

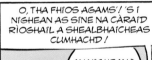

FERRI + CONRAD